Gilbert **Delahaye** ◆ Marcel **Marlier**

martine

apprend à nager

casterman

Martine

Joyeuse et curieuse, Martine adore s'amuser avec ses amis et son petit chien Patapouf. Ensemble, ils découvrent le monde et vivent de véritables aventures. Une chose est sûre : avec Martine, on ne s'ennuie jamais !

Vincent

Clara

En plus d'être gentil, le moniteur de natation connaît bien son métier… Au bout d'une semaine, tous ses élèves savent nager !

Clara est une des meilleures amies de Martine. Elles vont à l'école ensemble et sont voisines : pratique pour s'inviter à jouer le week-end !

Patapouf

Ce petit chien est un vrai clown ! Il fait parfois des bêtises… mais il est si mignon que Martine lui pardonne toujours !

Aujourd'hui est un grand jour.

Martine va prendre son premier cours de natation. Pendant qu'elle se présente à Vincent, le moniteur, les autres enfants caressent Patapouf et jouent avec lui.

– Je vais t'inscrire aux leçons du matin, décide Vincent. Tu seras dans le même groupe que Clara. À la fin de la semaine, vous saurez nager !

Martine choisit une cabine, se met en maillot de bain et rejoint
les autres élèves au bord du bassin.

Vincent annonce :

– Les filles doivent porter un bonnet de bain pour protéger leurs
cheveux. Mais les garçons, vous pouvez aussi suivre leur exemple.

– Le mien est trop serré ! souffle Martine.

Heureusement, les autres élèves ont l'air très gentils et n'hésitent
pas à l'aider.

Tout le monde sous la douche !

– Ouh ! C'est froid ! s'écrie Martine.

Vite, vite ! On se mouille et on se frotte partout. Un petit garçon

asperge Patapouf… qui se secoue aussitôt. Visiblement, ça ne l'amuse

pas du tout !

– Il déteste être mouillé… confie sa maîtresse.

Quand ils sont propres, les enfants sautent à l'eau : première leçon,

c'est parti !

– Pour commencer, dit Vincent, un petit jeu : vous allez plonger au fond du bassin pour retrouver un collier de coquillages.

Martine prend son souffle et s'immerge. Le temps d'entrouvrir les yeux sous l'eau…

– J'ai gagné ! s'écrie-t-elle en remontant à la surface.

– La meilleure technique pour apprendre à flotter, déclare le moniteur,
c'est de faire la planche.

– La planche ? demande Martine. Qu'est-ce que c'est ?

– Mets-toi sur le dos, bien droite, et laisse-toi porter par l'eau.

– Bravo, Martine ! dit Clara. Tu as réussi du premier coup !

– Dans l'autre sens, maintenant ! annonce Vincent. Tout le monde
à plat ventre, et filez le plus loin possible, les bras et les jambes tendus,
comme des flèches !

Martine prend son élan… puis glisse sous l'eau à toute vitesse.

Une vraie sirène !

À la deuxième leçon, Vincent explique les mouvements de la brasse :

– Commençons par les jambes. On amène les pieds contre le corps ;

puis on écarte les genoux ; enfin, on referme les jambes toutes droites.

Et on recommence !

– J'ai l'impression d'être une grenouille… pouffe Martine.

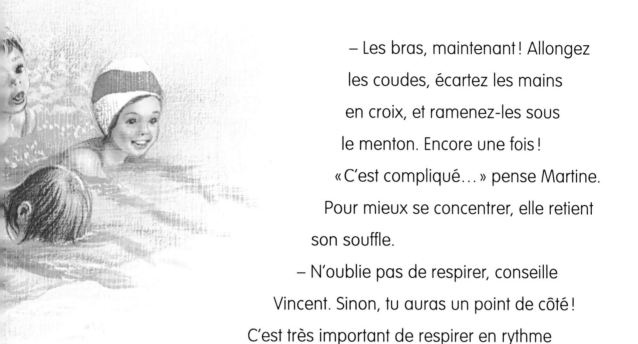

– Les bras, maintenant ! Allongez
les coudes, écartez les mains
en croix, et ramenez-les sous
le menton. Encore une fois !
« C'est compliqué… » pense Martine.
Pour mieux se concentrer, elle retient
son souffle.
– N'oublie pas de respirer, conseille
Vincent. Sinon, tu auras un point de côté !
C'est très important de respirer en rythme
pour ne pas s'essouffler.

Voilà trois jours que Martine
s'entraîne. Les mouvements
de la brasse n'ont plus
de secret pour elle !
– Maintenant, il faut faire des
longueurs pour te perfectionner
et apprendre à coordonner
tes gestes.

Dans le grand bassin, Martine
a un peu le trac, mais elle
progresse à chaque coulée.

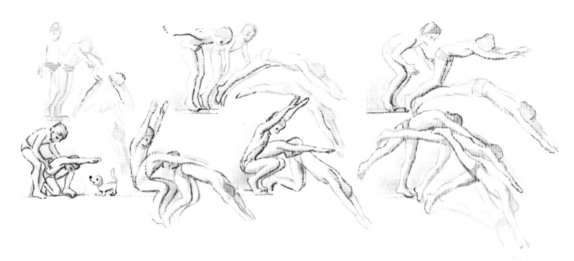

Plus difficile… le plongeon !

– Asseyez-vous au bord du bassin, dit Vincent. Martine, aide-moi
à faire la démonstration.

La fillette est un peu impressionnée. Elle écoute bien les consignes.

– Les bras tendus et collés aux oreilles… explique le moniteur. Penche
le torse en avant… À trois,
tu bascules dans l'eau en
poussant sur tes pieds !
Un… deux…

… Trois !

Le plongeon de Martine est parfait. Elle n'en revient pas !

– Ce n'était pas si difficile, conclut-elle. Je peux essayer en sautant, maintenant ?

Tous les enfants l'observent… Ils n'ont même pas été éclaboussés !

Quel mouvement magnifique !

– Tu es presque prête pour les jeux Olympiques ! s'écrie Vincent.

Pas de doute : Martine est maintenant un vrai poisson dans l'eau !

Elle saute à pieds joints dans la piscine en avant… et en arrière !

– Viens jouer avec nous, Patapouf ! appellent les enfants.

– Lui ? s'esclaffe Martine. Jamais de la vie ! Déjà qu'il déteste prendre son bain…

Pour le dernier cours de natation, Vincent a organisé un match
de water-polo.

– Les Étoiles des mers contre les Dauphins ! annonce-t-il.

Les enfants déploient toute leur énergie et s'amusent comme des fous.

Score final : 3 à 3… Ex-æquo !

Maintenant que Martine sait nager, elle peut jouer dans la mer avec Jean.

– C'est encore plus agréable qu'à la piscine! constate-t-elle.
Les vagues nous portent…
En voyant sa petite maîtresse si heureuse, même Patapouf se laisse tenter… Et hop, il se jette à l'eau!

À la piscine, près de la plage, il y a un immense plongeoir.

– Je vais essayer ! décide Martine.

Patapouf est un peu inquiet… C'est haut, quand même !

Martine s'avance sur la première planche… et s'élance.

Un vrai saut de l'ange !

Depuis sa chaise haute, le maître-nageur surveille les environs.

Il peut voir toute la plage grâce à ses jumelles, et même très loin jusqu'au large.

Tout le monde le connaît et l'apprécie. Les enfants lui font coucou quand ils sortent de l'eau.

Martine aime tellement l'eau maintenant qu'elle essaie tous les jeux aquatiques. Même le canot gonflable!

– Attention, Patapouf! crie-t-elle quand le bateau chavire.

Trop tard! Le petit chien tombe à l'eau!

Pas de problème, car maintenant il aime ça. C'est tellement agréable de savoir nager!

Retrouve **martine** dans d'autres aventures !

martine
à la ferme

martine
en voyage

martine
au cirque

martine
fait du théâtre

martine
en bateau

martine
et les quatre saisons

martine
à la maison

martine
au zoo

martine
fait les courses

martine
monte à cheval

martine
garde son petit frère

martine
fête son anniversaire

martine
fait du vélo

martine
petit rat de l'opéra

martine
fait la cuisine

martine
apprend à nager

martine
est malade

martine
fête maman

martine
à l'école

martine
et le cadeau d'anniversaire

martine
et les lapins du jardin

martine
baby-sitter

martine
et les marmitons

martine
prépare une surprise

martine
l'arche des animaux

martine
un amour de poney

martine
la dispute

martine
drôle de chien !

martine
protège la nature

martine
et le prince mystérieux

Casterman
Cantersteen 47
1000 Bruxelles

www.casterman.com

ISBN : 978-2-203-10687-1
N° d'édition : L.10EJCN000500.N001

© Casterman, 2016
D'après les albums de Gilbert Delahaye et Marcel Marlier.
Achevé d'imprimer en avril 2016, en Italie.
Dépôt légal : juin 2016 ; D.2016/0053/146
Déposé au ministère de la Justice, Paris (loi n°49.956
du 16 juillet 1949 sur les publications destinées à la jeunesse).